Sueña en Grande y Sé Tú Misma

Historias Motivadoras Para Niñas Sobre La Autoestima, La Confianza, El Valor Y La Amistad

Nadia Ross

Special Art Stories

Sueña En Grande y Sé Tú Misma

Historias Motivadoras Para Niñas Sobre La Autoestima,
La Confianza, El Valor Y La Amistad

Nadia Ross

PAPERBACK ISBN: 979-12-80592-54-5
support@specialartbooks.com
www.specialartbooks.com

Índice

Introducción

¡Hola chica maravillosa! ¿Sabes cuántas personas diferentes hay en el mundo?

Cada una de ellas tiene sueños y objetivos y su propio camino personal para realizarlos. Habrá momentos en los que parecerá imposible que tus sueños se hagan realidad. No escuches esos pensamientos. Eres mucho más capaz de lo que imaginas. Confía en ti misma y sigue afrontando los retos y las dificultades.

En este libro encontrarás historias de chicas que viven situaciones muy parecidas a las tuyas. Al igual que tú, ellas también tienen miedo, se preocupan y a menudo tienen que luchar para conseguir su objetivo. Trabajan duro, aprenden de sus errores y siguen intentándolo. A veces se desaniman, dudan de sus capacidades y tienen la tentación de rendirse. Pero, recurriendo a su luz interior, encuentran el valor y la confianza para superar los momentos difíciles y alcanzar sus sueños y objetivos.

Cuando eres tú misma y estás orgullosa de lo que haces, todo lo que deseas puede hacerse realidad. ¡Eres una chica maravillosa! Puedes hacer todo lo que quieras e incluso más de lo que crees. ¡Sigue persiguiendo tus sueños cada día! Antes de que te des cuenta, esos sueños se harán realidad, abriendo tu vida a más sueños, retos y crecimiento.

Mei Habla Dos Idiomas

No todos venimos del mismo lugar. Algunas personas hablan idiomas que quizá no conozcas y que pueden parecerte un poco extraños. Sin embargo, si escuchas con atención, te darás cuenta de lo hermosos que son. Intenta siempre ser curiosa, recuerda que siempre hay algo nuevo que aprender. Al descubrir nuevas lenguas, tradiciones o culturas, podrás ver lo inmenso que es el mundo y lo maravillosos que son otros puntos de vista.

Incluso cuando seas tú quien se sienta diferente, debes saber que siempre tienes algo extraordinario que ofrecer al mundo. Puedes ayudar a los demás a ver las cosas de una manera nueva, enriqueciendo sus vidas y conociéndote mejor a ti misma al mismo tiempo.

¿Qué te distingue de los demás? ¿Cómo puedes compartir tus dones especiales con el resto del mundo?

Mei habla dos idiomas. Le encantan los dos, pero hay uno que no le resulta cómodo hablarlo en público.

¿Qué crees que pasará cuando alguien le oiga hablar en su lengua materna?

~ ~ ~

Mei se preparaba para ir a la escuela: estaba tan ansiosa que sentía como si tuviera mariposas en el vientre. Era una sensación que conocía y que la hacía sentir incómoda. Cuando estaba en casa, estaba bien, pero si salía, se sentía triste, como si dejara una parte de sí misma en casa.

Y en cierto modo, así era.

Mei hablaba dos idiomas, pero sabía que sus compañeros no hablaban su lengua materna, el chino mandarín. Por lo tanto, en la escuela, sentía que no podía ser completamente ella misma.

Se puso la mochila y saludó a su madre y a su abuela, que estaban en la cocina preparándose para empezar el día:

—¡Zài jiàn! —(¡Adiós!).

Mei salió y caminó por el camino de entrada. Mientras esperaba el autobús, cantó la versión castellana del alfabeto para repasarlo. Después de llegar a la escuela, se sentó tranquilamente en silencio esperando que comenzara la lección.

—Hola, Mei —dijo una chica llamada Rebeca, tomando asiento en el puesto de al lado.

Mei sonrió y respondió suavemente:

—Hola —pensó que Rebeca era muy agradable. Ella tenía el pelo largo y rizado de un hermoso color rojo brillante, muy diferente del suyo, que era negro, liso y corto.

Rebeca siempre le pedía que se sentara con ella a la hora de comer y que jugara durante los descansos. Mei estaba muy contenta.

Cuando empezó la lección, Mei se quedó mirando cómo los demás alumnos respondían a las preguntas de la profesora. Aunque conocía bien el español, era demasiado tímida para hablar. Aunque conocía la mayoría de las respuestas, no se sentía cómoda hablándolo.

Después de la clase de español, la profesora repartió un examen de matemáticas. Mei miró los números de la página y, aunque le resultaban familiares, sintió que el miedo crecía porque no era muy buena en la materia y no le gustaba sentirse avergonzada.

Mei buscó su estuche en el mostrador, pero estaba tan nerviosa que su manga se enganchó en la cremallera y, al intentar liberarla, acabó tirando del estuche sobre sí misma con el resultado de que todos los lápices y gomas de borrar acabaron en el suelo con un gran estruendo.

Mei sintió que todas las miradas se dirigían a ella y se puso roja de vergüenza. Bajó los ojos y murmuró mortificada:

—Tâo yàn.

Colocó el maletín sobre el mostrador y recogió lo que había caído al suelo.

—Mei —susurró alguien. Levantó la vista y se encontró con la cara sonriente de Rebeca—. ¿Quieres que te eche una mano?

Mei asintió:

—Gracias, eres muy amable.

Juntas, recogieron todos los bolígrafos, lápices y gomas de borrar esparcidos por el suelo.

—¿Mei? —preguntó Rebeca—. ¿Qué has dicho antes? Sonaba interesante, pero parecías enfadada.

Mei se sonrojó. No había pensado que los demás pudieran oírla. Pero Rebeca había sido muy amable, así que le contestó:

—Mi familia es de Taiwán, en casa hablamos chino mandarín. Es algo que digo cuando estoy nerviosa o cuando me tropiezo con algo.

—¡Ah! ¡Qué genial! —exclamó Rebeca.

—¿De verdad?

—Chicas —dijo la profesora—, es hora de la prueba. El resto de la clase está esperando por ustedes.

—Lo siento, profesora Romani —respondieron las dos juntas. Recogieron el resto de los lápices y se sonrieron.

Rebeca susurró:

—En el almuerzo, debes contarme más sobre el chino mandarín.

Mei asintió y sonrió orgullosa por la sorpresa. Pensó que a nadie, ni siquiera a Rebeca, le importaba su lengua materna.

Durante el almuerzo, Mei se acercó a la mesa de Rebeca, donde había muchos más niños de lo habitual.

Cuando se sentó, se dio cuenta de que todo el mundo la miraba.

—Rebeca nos dijo que hablabas dos idiomas —dijo un niño pecoso al que le faltaban dos dientes.

Mei miró a Rebeca, que sonrió para animarla.

—¡Eso me parece estupendo! Un niño me oyó hablar de ello con alguien y se lo contó a otros —sonrió avergonzada, encogiéndose de hombros—. Todos quieren conocerte.

Mei los miró incrédula. Le sorprendió que todos quisieran aprender más sobre su lengua materna. Mirando aquel mar de niños con expresiones curiosas, se dio cuenta de que nunca había hablado con la mayoría de ellos. Sintió que se sonrojaba de vergüenza.

Rebeca le puso la mano en el brazo, consolándola.

—No tienes que hacerlo si no quieres. Pero creo que es algo muy especial.

Mei se mordió el labio y luego sonrió.

—De acuerdo —dijo tímidamente—. ¿Qué quieren saber?

—¿Cómo se dice sándwich? —preguntó Rebeca, señalando el almuerzo de Mei.

—Sān míng zhì —respondió Mei.

—¡Estupendo! —exclamó uno de los niños. Se sentó junto a Mei y apoyó la cabeza en su mano—. ¿Y cómo se dice *pelo* en chino?

—Se dice tó fâ —dijo Mei.

—¿Cómo has aprendido dos idiomas? —preguntó una niña con coletas rubias.

—Mi familia se mudó aquí cuando yo era pequeña. Hablan chino mandarín, pero también me ayudaron a aprender español en la escuela. Toda mi familia habla dos idiomas.

—¡Vaya! —exclamó otro compañero—. ¡Yo también quiero aprender dos idiomas!

—¡Quién sabe cuántos idiomas hay en el mundo! —dijo con curiosidad otro niño con el que Mei nunca había hablado.

A Mei le pareció una gran pregunta. Nunca había pensado en ello. Miró a Rebeca, que tenía una gran sonrisa en la cara y se preguntó si su amiga siempre había sabido que era un poco infeliz por eso. Ahora que su lengua materna ya no era un secreto, se sentía mucho más ligera.

Durante el resto del almuerzo, Mei respondió a otros niños que querían saber cómo se dice *"peine", "caramelo", "autobús"* y más: *"shū zǐ", "táng guǒ", "gōng chē"*. Le preguntaron si tenían un alfabeto diferente en China.

—Sí, lo llamamos Pinyin. En lugar de las letras que usamos en español, tiene muchos símbolos e imágenes.

Mei se sentía cómoda hablando de su cultura china. Estaba muy contenta de que Rebeca fuera su amiga.

Mei se acercó a Rebeca y la abrazó diciendo:

—¡Xiè xiè!

Rebeca sonrió y preguntó:

—¿Qué significa eso?

—¡Eso significa gracias! —respondió Mei, riendo—. Creo que eres mi mejor amiga.

—¡Tú también! ¿Te gustaría enseñarme chino? ¿Podemos jugar juntas en tu casa?

Mei asintió, emocionada por presentar a su nueva amiga a su familia. Se alegró de que Rebeca quisiera saber más sobre ella. Se había dado cuenta de que muchas personas la querían por lo que realmente era.

Esto la hizo muy feliz.

No podía esperar a llegar a casa y contarle a su familia lo bueno que era hablar dos idiomas.

Y eso fue exactamente lo que hizo.

~ ~ ~

Siéntete cómoda con lo que realmente eres, aprende a ser tú misma y ama cada aspecto de ti. Intenta ver más allá de lo que crees que los demás esperan de ti: puede que te sorprenda descubrir que estabas equivocada. Cuando compartes todo tu ser con las personas que te rodean, puedes ayudarles a crecer, amar y aprender cosas nuevas.

Carolina Hace Realidad Sus Sueños

¿Hay algo que sueñas con conseguir, pero crees que no puedes hacerlo porque eres demasiado pequeña, demasiado grande, no lo suficientemente fuerte o

quién sabe qué más? ¿Se te ha ocurrido alguna vez que, si fueras más grande, más rápida, más alta, etc., entonces sí podrías hacerlo?

¿Sabes que son esos mismos pensamientos los que se interponen en tu camino?

Si te dices a ti misma que "no eres suficiente", puede que empieces a creértelo de verdad. Si haces callar a esa voz que quiere desanimarte y en su lugar te dices a ti misma "sí, puedo hacerlo", pueden ocurrir cosas increíbles.

Cuando sustituyas la palabra "no puedo" por "sí puedo", descubrirás que eres grande, fuerte, alta, y rápida para hacer lo que quieras. Recuerda que los miedos que tienes no son más que migajas comparadas con las grandes cosas que puedes conseguir. Tener miedo es normal, pero no debes dejar que te detenga. Escucha tus dudas, pero ten la confianza de que puedes superarlas.

Escucha tu corazón y tus instintos y sigue tus pasiones. Puedes hacer cualquier cosa si crees en ti misma. ¿Hay algún sueño que te gustaría realizar?

Carolina es una chica a la que le encanta cocinar y ver concursos de pastelería en la televisión. Su sueño es participar en un concurso de pastelería en la televisión, pero, hasta ese día, seguirá practicando. ¿Crees que su sueño se hará realidad algún día?

~ ~ ~

Carolina se mordió el labio.

Entrecerró los ojos, dio un paso atrás e inclinó la cabeza hacia la izquierda. Luego a la derecha.

Volvió a la tarta y alisó un lado del glaseado rosa que era un poco más alto que el otro.

Luego apartó la espátula de metal, asintiendo con satisfacción.

Con una expresión radiante, sonrió con orgullo al ver el resultado. Miró a su madre y exclamó:

—Este es el mejor pastel que he hecho nunca.

La madre de Carolina le devolvió la sonrisa y dijo:

—Es precioso. No puedo esperar a probarlo. ¿Qué sabor es ese?

—Fresa con crujiente de pistacho —anunció Carolina con orgullo.

—Vaya, se ve delicioso. Nunca se me había ocurrido combinar esos dos sabores. Eres muy creativa.

Carolina sonrió ante el cumplido de su madre. Le encantaba cocinar e inventar nuevos sabores, postres y recetas. Carolina no podía esperar a tener la edad suficiente para presentarse a los concursos de pastelería de la televisión. Los chicos de la tele siempre hacían cosas increíbles y Carolina no se perdía ni un solo episodio. Su sueño era participar en una competición así.

Desgraciadamente, Carolina aún no tenía edad para intentarlo. Pero le gustaba tanto la cocina que seguía horneando dulces para su familia casi todas las noches después de la cena.

Carolina estaba lavando los utensilios de cocina cuando su hermano, Pedro, entró corriendo en la casa agitando un folleto verde. Pedro era unos años mayor que Carolina y era un buen hermano mayor. Incluso se parecían un poco, excepto por el pelo: el de Carolina era liso, mientras que el de Pedro era rizado. Pero ambos tenían el mismo color marrón claro que su madre y ojos azules brillantes.

Con los ojos brillantes, Pedro entregó el folleto a Carolina.

—¡Mira! —dijo con entusiasmo—. ¡Puedes participar en el concurso de pastelería de la ciudad! No está en la televisión, pero es un buen punto de partida.

Carolina miró a su hermano con curiosidad, esforzándose por seguirle. Ella pensó que había entendido mal y le dirigió una mirada insegura. Pero luego estudió el folleto con atención.

¡¡PEQUEÑOS PASTELEROS, LOS INVITAMOS A PARTICIPAR EN NUESTRO CONCURSO!! ¡ESTE SÁBADO A LA 1 PM! HAY UN GRAN PREMIO PARA QUIEN GANE LAS TRES RONDAS: UN SUMINISTRO DE INGREDIENTES DE REPOSTERÍA POR UN AÑO EN LA TIENDA DE COMESTIBLES LOCAL.

—¡Tres rondas y un año de suministro de ingredientes para hornear! —gritó Carolina—. ¡Piensa en todo lo que podría cocinar con tanto! —empezó a dar saltos de alegría con solo pensarlo—. ¡Gracias, Pedro! Eres el mejor —su hermano saltó con ella.

La miró y sonrió.

—¡Tus pasteles son fantásticos! Seguro ganarás.

—Muy bien, chicos, es una gran noticia, pero no hay necesidad de gritar así. Bajen la voz y salgan afuera a saltar, ¡vamos! —la madre de Carolina siempre permitía a sus hijos expresar su alegría y satisfacción, pero siempre los enviaba al jardín, porque no quería oír gritos en la casa.

Carolina y Pedro corrieron hacia el patio de recreo y, emocionados, bailaron y saltaron un rato más. Entonces, Pedro le preguntó:

—Entonces, ¿vas a participar?

Carolina volvió a mirar el folleto y trató de leer lo que estaba escrito en él.

—Tengo que rellenar un for....mu....la....rio —dijo. Todavía estaba aprendiendo a leer y la repostería le había ayudado porque tenía que saber leer los ingredientes que se iban a utilizar. Sin embargo, todavía tenía que aprender muchas otras palabras que no estaban en las recetas.

—Formulario —dijo Pedro, ayudándola—. Significa que tendrás que solicitar tu participación en el concurso. Normalmente, te piden tu nombre, edad, nivel de experiencia y otras cosas. Mamá puede ayudarte a rellenarlo —Pedro señaló el folleto—. Mira, los formularios se pueden recoger en la biblioteca. Estoy seguro de que mamá te llevará allí mañana. Completa y entrega la solicitud, ¡y estarás lista para hornear pasteles!

Pedro empezó a saltar de nuevo, pero Carolina ya no estaba tan entusiasmada. Todavía no sabía escribir muy bien.

Si no podía rellenar la solicitud sin la ayuda de su madre, ¿significaba eso que no podía participar en el concurso? Carolina dejó escapar un largo suspiro y volvió a mirar el folleto. Pedro se detuvo y le preguntó:

—¿Por qué estás tan preocupada?

—¿Y si soy demasiado pequeña? —preguntó con lágrimas en los ojos.

—¡Qué tontería! No lo eres en absoluto. Haces unos dulces fantásticos. Serás la mejor de todos —exclamó Pedro con confianza.

Carolina sonrió a su hermano. Apreció su apoyo, pero no pudo ignorar esa sensación en su estómago.

Tras rellenar la solicitud con su madre al día siguiente, Carolina preguntó con dudas:

—Mamá, ¿crees que tengo la edad suficiente para participar?

Su madre la abrazó y le dijo:

—Sí, y creo que eres mucho mejor de lo que crees. Llevas cocinando desde los dos años. No hace falta ser grande para competir, ya sabes mucho de repostería. A veces, la edad no importa.

Carolina asintió pensativa. Lo que le habían dicho su madre y su hermano había sido muy útil. Decidió que al menos podía intentarlo.

El día de la competición llegó en un abrir y cerrar de ojos. Carolina no sabía qué tendría que cocinar para la segunda ronda porque sería un pastel sorpresa, pero había practicado para la primera y la segunda ronda. Sin embargo, seguía preocupada. Normalmente, los pasteles le salían muy bien, pero temía que, si se ponía nerviosa, pudiera olvidar algún ingrediente importante.

Su madre le dijo:

—Está bien tener miedo. Piensa que solo estás practicando. Estás entrenando para la próxima competición. No importa cómo vaya, siempre habrá otra competición. Cada vez que te presentas a un concurso, aprendes algo. Tanto si ganas como si pierdes, vivirás experiencias inolvidables y aprenderás cosas nuevas e increíbles.

Carolina sonrió a su madre. Ella lo entendió. Cuando entró en la carpa donde se celebraba el concurso, Carolina siguió respirando lentamente. Esto la ayudó a mantener la calma, incluso cuando el miedo hacía que su corazón latiera tan fuerte como un tambor.

Carolina encontró rápidamente su asiento y se puso el delantal sin necesidad de que nadie se lo dijera.

Miró a toda la gente de alrededor y pensó: *debe ser así incluso cuando todo el mundo te está viendo por televisión.* Solo pensarlo la ponía aún más nerviosa. Carolina volvió a respirar profundamente.

Un hombre con un traje elegante se acercó. Llevaba una chaqueta de rayas grises y una pajarita amarilla. Dijo:

—¡Bueno, muchachos! ¿Están listos?

Los niños gritaron y aplaudieron:

—¡Sí!

—¡Hora de ponerse a cocinar! —exclamó el presentador.

Carolina cogió sus utensilios e ingredientes y empezó a preparar las magdalenas como había practicado. Eran de chocolate con relleno de frambuesa y glaseado de crema de frambuesa.

Midió, niveló y pesó todos los ingredientes. Los vertió en el bol y removió hasta que la mezcla quedó bien líquida y de color marrón oscuro. Carolina puso una cantidad específica de masa en cada caja de magdalenas y luego las horneó. Mientras esperaba a que se hornearan las magdalenas, ordenó su puesto y se dio cuenta de que ya no estaba tan nerviosa.

Seguir la receta paso a paso había ayudado a Carolina a calmarse de una manera que nunca creyó posible. Cuando se dio cuenta, comprendió que estaba a la altura de la competición, a pesar de ser la más pequeña.

Carolina lo había hecho bien en la primera ronda y aún mejor en la ronda sorpresa, en la que los concursantes tenían que preparar un pastel del que nunca habían oído hablar. En la tercera ronda, incluso habían preparado un pastel de cuatro capas.

Carolina dio un paso atrás para mirar su pastel de cuatro pisos. Había hecho un nuevo tipo de decoración con un glaseado especial de menta que nunca había probado y, aunque era una novedad, estaba segura de que el pastel le había salido muy bien. Carolina estaba muy orgullosa del resultado: había hecho pequeños globos de colores con glaseado e incluso les había puesto chispitas. Estaba muy contenta de que Pedro le hubiera traído a casa ese folleto.

Cuando los jueces probaron su pastel, sonrieron y le guiñaron un ojo.

Cuando llegó el momento de anunciar los tres primeros puestos, volvió el miedo de Carolina. Cogiendo a los otros niños de la mano, cerró los ojos y siguió respirando como su madre le había enseñado. El tercer puesto fue para un niño llamado Mario.

—Roberto —fue llamado para el segundo. Carolina comenzó a sentirse muy nerviosa. Esperaba ganar al menos el segundo o tercer puesto, ni siquiera había pensado en el primer puesto, ya que había muchos chicos mayores que ella. Y ahora los jueces estaban a punto de anunciar el ganador del primer lugar.

—¡Carolina!

Carolina abrió los ojos y sonrió. No podía creer que había ganado. Miró a su madre y a su hermano y sonrió aún más.

—¡Acabo de ganar un año de ingredientes de repostería! —gritó mientras aplaudía. El premio la ayudaría a prepararse para muchos más concursos de repostería, y con cada concurso se convertiría en una mejor pastelera: estaba deseando aprender más.

~ ~ ~

Sigue tus pasiones: no esperes a que te ocurra algo grande, sobre todo cuando tienes un sueño. Hay que perseguirlo y trabajar duro para conseguirlo. Esforzarte puede convertir tus sueños en realidad. Si no lo intentas, nunca sabrás lo que puedes conseguir. Recuerda ser amable y reflexiva mientras haces las cosas y sigue aprendiendo siempre. Considera los fracasos como oportunidades para seguir creciendo y mejorando.

A Martina Le Encanta Aprender Cosas Nuevas

¿Cómo te sientes cuando cometes un error? ¿Bien o mal? ¿Te enfadas contigo misma cuando cometes errores?

Los errores siempre pueden ocurrir. Y, te diré un secreto, ¡los errores a veces pueden sorprenderte de forma positiva! La perfección no existe. Siempre hay oportunidades para aprender, crecer y mejorar en algo, aunque sea simplemente cómo ponerse los calcetines.

También se puede vivir una gran vida cometiendo errores. Sin errores, nunca aprenderíamos nada nuevo.

Así que, la próxima vez que cometas un error, dite a ti misma: "¡No pasa nada! Acabo de aprender algo". Y dile a esos pensamientos y sentimientos desagradables de vergüenza, enfado o pena que te dejen en paz.

Martina es una niña a la que no le gusta cometer errores, pero un día comete uno. ¿Cómo crees que lo manejará? ¿Y tú? ¿Qué haces cuando cometes un error?

~ ~ ~

Martina abrió los ojos y miró por la ventana.

Sonrió, observando la caída de las hojas de color otoñal. El aire frío significaba que la estación había cambiado, justo a tiempo, como a ella le gustaba. Aunque el despertador aún no había sonado, ella sabía que estaba a punto de hacerlo. Martina siempre lo hacía todo con precisión y había tomado la costumbre de seguir su propio horario.

En cuanto sonó el despertador, Martina se sentó en la cama y pulsó el botón para apagarlo.

En la pequeña habitación había vuelto el silencio.

Martina movió las piernas hacia adelante y hacia atrás, inhalando y exhalando lentamente.

Martina estiró los brazos por encima de su cabeza, estirando todos sus músculos. Fue la manera perfecta de empezar el día.

Una vez que terminó de estirarse, hizo la cama, asegurándose de alisar las mantas con la mano.

Acomodó las almohadas.

Puso los peluches en su lugar habitual.

Se cambió de ropa y dobló el pijama, para luego ponerlo en el cesto de la ropa sucia.

Martina se fue a la escuela sonriendo para sí misma porque fue otra mañana perfecta sin errores.

Pero no sabía que un error le acechaba.

Después de las clases, Martina recogía sus papeles, limpiaba su escritorio y metía sus cosas y libros en la mochila para ir a casa.

El profesor llamó la atención de la clase y dijo:

—Lo siento chicos, se me olvidó decirles que tienen que entregar su tarea antes del viernes.

Martina se sintió aterrada. Normalmente habría añadido una nota en su agenda, pero ya la había guardado en su mochila. Si no hubiera marcado la nueva fecha de entrega, podría haberlo olvidado y, si lo hubiera hecho, todo no habría sido perfecto. No podía dejar que eso sucediera.

Rápidamente abrió su mochila, sacó su agenda y comenzó a anotar la fecha de la nueva asignación.

Mientras tanto, oyó un anuncio:

—Autobús 17, ¡saliendo!

—¡Oh, no! —exclamó Martina—. Es el mío —no podía perderlo. Sus padres estaban trabajando y no quería que tuvieran que recogerla. Eso no habría sido justo.

Martina se levantó de un salto, cogió su diario con una mano y su mochila con la otra y salió corriendo del aula lo más rápido que pudo sin correr (porque correr iba en contra de las normas).

Se sentó rápidamente en su asiento habitual justo cuando el autobús se marchaba y dio un suspiro de alivio por haberlo conseguido. Se anotó mentalmente que no volvería a ocurrir algo así: no le gustaba sentirse tan presionada.

Durante el viaje, Martina abrió su mochila para comprobar que había llevado todo. Pero le faltaban los deberes.

Martina resopló, sacudiendo la cabeza.

—Imposible —se dijo a sí misma. Nunca había olvidado sus deberes. No podría haberlo hecho ahora.

Buscó en sus cuadernos, en su agenda y en sus carpetas, pero fue inútil: no estaban allí.

—Oh no —exclamó quejándose—. ¡El profesor me distrajo y me hizo olvidar los deberes! —Martina estaba furiosa. Apretó los puños y se puso toda roja... No podía creerlo.

Si el profesor Langella no hubiera cambiado la fecha de entrega, Martina nunca habría olvidado sus deberes.

Se pasó una mano por el pelo y, enfadada, se preguntó: ¿qué hago ahora?

Cuando se bajó del autobús, Martina corrió hasta la casa, abrió la puerta de golpe y se encerró dentro.

La historia de los deberes la había puesto de mal humor y no tenía miedo de mostrar cómo se sentía.

—¿Quién está en casa? —llamó su padre desde el pasillo.

—Soy yo. El profesor me ha hecho olvidar los deberes —dijo Martina enfadada.

El padre de Martina salió de la esquina. Miró a su hija de forma interrogativa, sorprendido al ver que estaba tan agitada.

—¿Qué? —le preguntó.

—Así es —Martina tiró su mochila al suelo y se acercó a su padre—. Me distrajo al final de la clase cambiando la fecha de entrega de la tarea, así que no metí los papeles en la mochila como hago siempre —Martina se llevó las manos a los costados con impaciencia, dando un pisotón.

El padre de Martina era bondadoso. Aunque sabía que los sentimientos de su hija eran importantes, también sabía que su ira estaba fuera de lugar.

—En realidad, cariño, parece que te has equivocado...

Para Martina ese comentario fue como un golpe.

—¿Qué? —preguntó incrédula.

—Bueno, parece que el profesor solo estaba haciendo su trabajo. ¿Y si no te hubiera contado lo de la nueva fecha de entrega? ¿Cómo lo ibas a saber? —papá intentó razonar con ella.

Martina bajó los brazos cuando se dio cuenta de que su padre tenía razón, pero en lugar de sentirse aliviada, se sintió abrumada por el peso de la palabra "equivocado".

—¿Me he equivocado? —preguntó en voz baja.

Martina no recordaba la última vez que había cometido uno. Cuando esa conciencia la invadió, sintió que se hundía. Miró a su padre, cuyas facciones se suavizaron aún más al ver a su hija tan alterada. Se agachó y le puso una mano en el hombro.

—Querida, ¿por qué estás molesta ahora?

Martina rompió a llorar sin contenerse más y, sollozando, empezó a decir:

—Yo... yo... ¡me he equivocado!

Su padre suspiró y se sentó en el suelo junto a ella. Cogió a su hija y la abrazó con fuerza. Mientras le acariciaba el pelo y la mecía suavemente, le susurró:

—Está bien. Los errores te dan la oportunidad de pensar de forma creativa, de encontrar soluciones y de aprender cosas nuevas sobre ti misma.

Martina sollozó. Se secó las lágrimas.

Recordó que su padre ya le había dicho algo parecido.

—¿Qué quieres decir? —dijo entre sollozos.

—Escucha, eres realmente una chica inteligente y una hija excepcional. Pero te complicas mucho la vida intentando ser "perfecta" sin pensar que la perfección no existe. Todos somos diferentes y únicos. Te gusta mantener tu cama ordenada y limpia. Tu hermano, en cambio, es muy desordenado —pensar en la habitación de su hermano la hizo sonreír. De hecho, él era todo lo contrario—. Pero eso no significa que sea una mala persona, ¿verdad?

Martina negó con la cabeza. Aunque era algo desastroso, su hermano era bueno, siempre amable con todos. También sacaba muy buenas notas y era muy servicial con sus vecinos.

—La perfección no significa que tu vida esté libre de estrés. Significa que si sigues intentando ser perfecta, te perderás todos los momentos de los que puedes aprender más sobre ti misma y sobre cómo manejar cualquier cambio o desafío. Los errores son oportunidades increíbles.

Martina volvió a sollozar. Empezaba a entender lo que quería decirle.

Papá le dio un fuerte abrazo y continuó:

—Piensa en cómo puedes resolver tu problema —Martina se levantó y ayudó a su padre a hacer lo mismo.

—Bueno —dijo entonces—, podría decirle al profesor la verdad, que me olvidé los deberes en el colegio.

—¡Exactamente! Es una muy buena solución a tu problema. ¿Ves lo fácil que era resolverlo? Si no hubieras olvidado los deberes, no habrías podido usar la cabeza así. ¿Cómo se siente?

Martina sonrió.

—¡Muy bien!

Esa misma noche, en su habitación, Martina se preguntó cómo sería no hacer la cama a la mañana siguiente. Cuando se despertó, a diferencia de las otras veces, le costó dejarla sin hacer, pero luego cedió y la reacomodó como siempre. Pero ahora sabía que, aunque fuera perfecto para ella, podría no serlo para los demás.

Martina comprendió que cada error era una gran oportunidad para aprender, crecer y mejorar.

Y se alegró de ello.

~ ~ ~

Aprende de tus errores y dificultades: si lo haces, puedes crecer de una forma que ni siquiera imaginabas. Sorprenderás a todos, incluso a ti misma. Considera los errores como lecciones de las que aprender, no necesariamente como cosas "malas" o "equivocadas".

¡Alice Se Lanza Desde Muy Alto!

¿Hay cosas que te dan miedo? ¿Intentas desterrar tu miedo cuando lo sientes venir? ¿O dejas que te bloquee?

Ser precavida siempre es bueno, pero no dejes que el miedo te impida probar cosas nuevas. A veces, un reto es tan grande que el miedo puede detenerte, incluso si es algo que realmente quieres hacer. Pero si es algo que te ayudará a crecer y no afectará negativamente a nadie, deberías probarlo.

Sigue adelante, a pesar de tu miedo, y el resultado te sorprenderá.

Alice es una chica a la que le encanta la aventura y rara vez se asusta de algo. Nunca se deja vencer por el miedo, pero si se encuentra con un nuevo tipo de desafío, los temores vuelven a aparecer. ¿Qué crees que pasará?

¿Has tenido miedo de algo? ¿Cómo reaccionas?

~ ~ ~

Alice movió las piernas hacia adelante y hacia atrás en el columpio para volar más alto. Miró a su izquierda para ver a qué altura iban sus amigos. Su pelo se agitó alrededor de su cara. Aunque no podía ver a los demás, sabía que iba más alto y más rápido que los demás. Siempre le había gustado ir rápido en el columpio.

Volvió a mirar al frente y cerró los ojos mientras el cálido sol calentaba sus mejillas y su cara.

—¡Alice! Es hora de irse —escuchó que alguien la llamaba. Abrió los ojos y vio a sus padres que la esperaban a la salida del parque infantil. Hoy tenían previsto

ir al lago y, mientras esperaba a que sus padres hicieran las maletas, Alice había visto a sus amiguitos ir al parque infantil y pensó que podría unirse a ellos un rato. La niña se soltó de las cadenas y saltó del columpio al vuelo.

Cuando aterrizó, sus amigos hicieron un coro de *oohs* y *aahs* de admiración.

Sabía que no era algo que pudiera hacer en cualquier parque infantil, pero había practicado muchas veces en el barrio y conocía la altura correcta a la que saltar para no hacerse daño.

Alice siempre pone la seguridad por delante. Aunque le gustaba la aventura, sus padres siempre le decían que había formas correctas e incorrectas de hacer ciertas cosas. Y como no quería salir herida, siempre seguía sus consejos.

—¡Hola chicos! —dijo Alice, despidiéndose de sus amigos y corriendo hacia sus padres. No podía esperar a llegar al lago.

Todos los años su familia hacía un viaje al lago. Se quedaban unos días en su casa de campo habitual y siempre hacían muchas cosas divertidas. Treparon por las rocas, hicieron piragüismo, jugaron en el lago, saltaron al agua desde un trampolín y mucho más.

Ese año, Alice y su familia habían decidido visitar otro lago. Ir a un lugar en el que nunca habían estado significaba vivir nuevas aventuras y hacer un montón de cosas nuevas.

El entusiasmo de Alice estalló en cuanto llegaron al campamento. Había muchas cosas que hacer. Vio un enorme tobogán en el lago, un carrusel, un cine al aire libre con una enorme pantalla y mucho más. Pero lo que más le había llamado la atención era una fila de niños que corrían hasta el punto más alto del lago, agarraban una cuerda y luego saltaban al agua. Cada niño aterrizó con un gran chapoteo. Alice se dijo a sí misma:

—Voy a hacer el mayor chapuzón.

Alice dio un salto de impaciencia mientras sus padres descargaban el coche y preparaban la casita. Cuanto más tiempo tenía que esperar para sumergirse en el lago, más ganas tenía de intentarlo. No dejaba de pensar en todos los saltos y giros que podía hacer, y en su imaginación, cada chapuzón era más grande y más impresionante que el anterior.

Finalmente consiguió ponerse el traje de baño y cogió a su madre de la mano, arrastrándola por el camino hacia la colina donde se encontraba la cuerda de saltar.

—Cálmate, cariño —Alice se volvió para mirar a su madre, que le dedicó una suave sonrisa.

—Lo siento —dijo—. Nunca había visto algo así. Voy a hacer el mayor chapuzón.

Su madre se rio y contestó:

—Eso suena muy bien, pero no me tires del brazo. ¿Por qué no te pones en la cola? Echaré un vistazo a ver qué más se puede hacer. Volveré antes de tu inmersión, ¿vale?

Alice asintió y se marchó, corriendo hacia la fila antes de que su madre pudiera añadir algo más.

Al pie de la colina, miró hacia arriba, más arriba de nuevo, pero no pudo ver dónde estaba la cuerda para lanzarse.

—¡Vaya! —susurró. Alice se dio cuenta de la altura de la colina: si no podía ver la cima, ¡el chapoteo que haría al sumergirse sería enorme!

Alice esperó pacientemente en la cola. Miró a su alrededor y habló con los otros niños que estaban a su lado y les preguntó sobre los saltos. Todos los niños le dijeron que era lo mejor que habían hecho.

—¡Fantástico!

—¡Qué divertido!

—¡Hice un gran chapuzón!

Cuando la fila empezó a moverse y Alice subió la colina, volvió a mirar hacia donde estaba el último niño. Estaba más alta que nunca. Incluso cuando iba en su columpio.

Alice tragó saliva.

Buscó a su madre y a su padre entre la multitud, pero no los vio. Volvió a tragar saliva.

Empezó a tener un poco de miedo.

Se rascó la cabeza y se dijo:

—Vete, miedo. Quiero hacer esto —pero cuanto más lo decía, menos segura estaba de querer hacerlo.

Sintió que le temblaban los labios y su voz ya no estaba tan convencida como antes. Aunque no le había sucedido a menudo, Alice tenía miedo.

Apretó los dientes y apretó la toalla entre sus manos.

Empezó a divagar con la mirada. Solo quería abrazar a su madre.

El impulso fue tan fuerte que miró hacia atrás para ver dónde estaba su madre. Cuando miró hacia atrás, se dio cuenta de que casi le tocaba saltar. En ese

momento decidió que iría a buscar a su familia, para poder abrazar a su madre y que todo fuera mejor.

Se dirigió al niño con el que había hablado un poco mientras esperaban en la cola y le dijo:

—Tengo que ir a buscar a mi mamá. Gracias —Alice se despidió con la mano y corrió colina abajo tan rápido como pudo, pero a pequeños pasos para no caer en el empinado terreno.

Cuando llegó al valle, vio a sus padres y se lanzó al cuello de su madre, abrazándola con fuerza.

—Alice —exclamó su madre, sin aliento—. ¿Qué pasa?

Mamá la abrazó y la apretó con fuerza:

—No quiero subir, es demasiado alto —dijo Alice, apoyando la cabeza en el hombro de su madre.

—Oh, amor —mamá se puso en cuclillas a su nivel y papá le limpió las lágrimas de las mejillas—. Nunca te había visto tan asustada. Debe haber sido realmente horrible.

Alice asintió.

—¿Qué es lo que te da tanto miedo? —le preguntó su padre.

—¡Está muy, muy alto! Luego tienes que saltar y no sabes cómo va a ser el agua ni cómo te vas a dejar caer —Alice trató de recuperar el aliento, pero

no pudo evitar que sus pensamientos salieran de su boca.

Mamá le puso las manos sobre los hombros.

—Shh, respira hondo —le dijo—. Ahora, exhala lentamente —continuó. Alice dejó salir todo el aire, e inmediatamente se sintió un poco mejor—. Bien. No tienes que subir la colina y saltar. Lo sabes, ¿verdad?

Alice se mordió el labio y volvió a mirar hacia la colina. Ella asintió:

—Sí, me gustaría hacerlo.

—Bien, entonces tendrás que superar tu miedo —dijo su madre.

—¿Sabes que cuando tenemos miedo de hacer algo, significa que realmente queremos hacerlo? —le dijo su papá—. Todos tenemos algo de miedo cuando nos enfrentamos a algo nuevo o cuando lo que hacemos es muy importante. El miedo es como una campana de alarma que te dice que tengas cuidado. Pero a veces se convierte en algo abrumador. Si quieres saltar, tienes que aceptar tu miedo y saltar de todos modos.

Alice volvió a mirar la colina.

Sintió un nudo en el estómago al pensar que tendría que volver a subir para saltar desde la cima.

Pero su sentido de la aventura, su mente y sus instintos le susurraban: *"Hazlo. ¡Salta!"*

—¿Van a venir conmigo? —preguntó a sus padres.

Mamá y papá se miraron y sonrieron, y luego se volvieron hacia Alicia.

—Por supuesto, cariño —prometió mamá.

La tomaron de las manos y la acompañaron hasta donde comenzaba su cola.

La segunda vez que subió la colina, ya no le pareció tan alta. Pero, cada vez que un poco de miedo volvía a ella, Alice apretaba la mano de sus padres. Antes de darse cuenta, ya estaban en la cima. También esta vez no había tardado mucho.

Alice se dio cuenta de que la presencia de sus padres era una gran ayuda para ella.

Además, como era la segunda vez que subía a la colina, las cosas ya no le parecían tan temibles. Al menos hasta que llegaron a la cima. Cuando estuvieron allí, su corazón comenzó a latir con fuerza. Entonces Alicia se dirigió a su miedo y le preguntó:

—Miedo, ¿qué te asusta?

—Caer —fue la respuesta.

—No vamos a caer. Vamos a saltar.

Cuando Alice abrió los ojos, se dio cuenta de que su miedo a saltar no era nada real porque saltar era

algo que se le daba bien. Entonces sonrió a su madre y a su padre y les dijo:

—¡Gracias por venir conmigo!

Sus padres la abrazaron y vieron que estaba lista para lanzarse.

Alice se agarró a la cuerda, corrió hasta el borde y saltó con un gran grito. Se dejó caer y voló al agua con un gran chapoteo.

Cuando salió a la superficie, vio a sus padres y al resto de la gente aplaudiendo; ¡realmente había hecho más chapuzones que nadie!

~ ~ ~

Cuando confíes en ti misma, podrás acallar tu crítica interior y vencer todos tus miedos. Muchas cosas en el mundo pueden parecer aterradoras, pero si te rindes al miedo, no podrás vivir tu vida al máximo. Si es seguro, haz lo que quieras, y no escuches a tu miedo.

Emilia Marca La Diferencia

No importa lo grande o pequeña que seas. Todavía puedes marcar la diferencia en la vida de otra persona. A veces alguien necesita ayuda, pero no sabe cómo pedirla o no lo hace por miedo a molestar. Sin embargo, a veces basta con una buena acción para alegrar el día a alguien.

Al ayudar a otra persona o a un animal, estás haciéndole un pequeño hueco en su corazón y provocando un impacto en su vida.

Si quieres ayudar a alguien, lo mejor que puedes hacer es sorprenderle con tu amabilidad haciéndole saber que es importante para ti: es la mejor manera de marcar la diferencia.

Emilia se da cuenta de que su vecina podría necesitar ayuda, pero teme ser demasiado joven para ayudar. ¿Qué crees que hará para que se dé cuenta de que puede encontrar una manera de ser útil? ¿Cómo ayudarías a tu vecino?

~ ~ ~

Confundida, Emilia frunció el ceño y borró el número que acababa de anotar.

El problema de matemáticas en el que estaba trabajando era realmente difícil, pero quería resolverlo a toda costa. No solo porque era una tarea que tenía que hacer, sino también porque le encantaba resolver problemas.

Emilia tamborileaba con su goma de mascar sobre el labio inferior, tratando de reordenar los números en su mente, cuando algo llamó su atención. Levantó la vista y vio a la señora Bruno, la vecina, caminando con muletas.

—Oh-oh —se dijo Emilia—, me pregunto qué le habrá pasado —dejó el lápiz y se dirigió al despacho de su padre, que trabajaba desde casa.

Normalmente, no venía cuando papá estaba trabajando, pero como era sábado, Emilia pensó que probablemente no estaba tan ocupado, tal vez solo estaba ordenando un poco.

—¿Papá? —preguntó Emilia.

—¿Sí?

—La señora Bruno está caminando con muletas.

—¿Qué? —el padre miró por la ventana—. Eso es terrible. ¿Qué puede haberle pasado?

—Creo que deberíamos ir a ver cómo está —dijo Emilia.

Su padre sonrió y respondió:

—Por supuesto. Vamos, es muy amable de tu parte, cariño.

Emilia le devolvió la sonrisa. Le gustaba saber que su padre la consideraba amable. Le cogió de la mano y cruzaron el césped hasta la veranda de la señora Bruno. Emilia llamó al timbre y, mientras esperaba, disfrutó balanceando el brazo de su padre de un lado a otro.

—Hola —respondió la señora Bruno unos instantes después—. ¡Oh! Emilia y Giacomo, ¿cómo están? —la señora saltó hacia atrás sobre sus muletas y abrió la mosquitera frente a la puerta principal. Parecía sorprendida.

El padre de Emilia le abrió la puerta a su hija y entraron.

—¿Les importa si me siento? Esta pierna fracturada me está cansando mucho —dijo la señora Bruno, suspirando con fuerza.

Ambos negaron con la cabeza y la siguieron a la siguiente habitación. Antes de sentarse en la silla de peluche verde que solía utilizar cuando visitaba a su vecina, Emilia preguntó:

—¿Qué le ha pasado en la pierna? ¿Cómo se lastimó?

Con la ayuda del padre de Emilia, la señora Bruno se sentó con un gemido y dijo:

—Estaba trabajando y me caí por las escaleras. Aterricé mal y directamente sobre mi pierna, rompiéndola en dos partes. Por suerte, la fractura estaba por debajo de la rodilla, de lo contrario habría tenido que ponerme la escayola hasta la cadera.

A Emilia no le pareció nada afortunado, pero estuvo de acuerdo en que una escayola hasta la cadera tampoco hubiera sido algo bueno.

—Debe doler mucho —dijo.

—Está bien, querida. Unas semanas de descanso y estaré como nueva. Probablemente incluso mejor que antes.

Emilia asintió y sonrió. No quería llevarle la contraria a la señora Bruno, ya que acababa de hacerse daño, pero no veía cómo romper algo podría mejorarla. Pero pensó que no era tan importante ya que la señora seguía hablando.

—Tendré que pedirle a alguien que me ayude en casa durante unas semanas hasta que me cure. Toda mi familia vive en otra región y no puedo hacer que vengan aquí solo porque me haya hecho un poco de daño.

Emilia vio a su padre sonreír y asentir ante las palabras de la señora Bruno. No parecía preocuparle que la vecina no tuviera a nadie que la ayudara, pero Emilia sí lo estaba.

Una vez terminada la visita, se fueron. De camino a casa, Emilia dijo:

—Es muy triste que no tenga familia cerca que pueda ayudarla.

—Sí, es cierto —coincidió papá.

—¿Cómo crees que podemos ayudarla? —Emilia se mordió el labio, no estaba segura de lo que podía hacer para ayudar a su vecina, pero ciertamente quería hacer algo.

—Sabes, ese es un pensamiento muy dulce, pero no sé qué podríamos hacer por ella. ¿Por qué no lo pensamos y lo hablamos esta noche durante la cena? Tienes que terminar los deberes, ¿verdad? —le preguntó su padre.

Emilia asintió distraídamente mientras pensaba ya en cómo resolver el problema.

Durante la cena, Emilia le dijo a su padre:

—Creo que he descubierto cómo podemos ayudar a la señora Bruno: haremos algún trabajo en su jardín.

—¿Trabajar en el jardín? Explícate mejor.

—Probablemente necesita descansar, ¿verdad? Siempre dices que necesito descansar cuando me encuentro mal o estoy herida —dijo Emilia, pensativa.

—Es cierto —coincidió su padre.

—Así que, en lugar de ayudarla DENTRO de la casa, podemos hacerlo FUERA. Todavía tenemos que hacer el trabajo en nuestro jardín, para poder utilizar nuestro equipo. Así, la señora Bruno podrá seguir descansando y no la cansaremos —dijo Emilia, entusiasmada.

—Emilia, es una muy buena idea. ¿Qué tipo de trabajo piensas hacer?

Emilia se llevó el dedo al labio inferior, pensativa.

—Puedes cortar el césped, ¿verdad? —dijo.

—Sí, yo puedo hacerlo. No creo que tengas la edad suficiente para usar un cortacésped.

—Bien. ¿Qué más necesita el jardín? —preguntó Emilia.

Papá miró por la ventana y dijo:

—Bueno, hay que recoger las hojas caídas y limpiar los parterres de maleza. Sin duda se pueden hacer esas dos cosas.

—Pero nunca he hecho eso antes, papá —exclamó Emilia, preocupada.

Su padre se arrodilló y le besó la frente.

—No te preocupes, te enseñaré. Podemos hacerlo juntos. Repasaremos eso por la mañana y luego empezaremos. Podemos quitar las hojas juntos, luego puedes quitar las malas hierbas mientras yo corto el césped.

—¡Genial! —exclamó Emilia con alegría.

—La tuya también es una buena idea. Es algo muy considerado por tu parte pensar en la señora Bruno, que no está muy en forma. Eres una buena chica, Emilia, ¡gracias!

Emilia sonrió. Estaba orgullosa de que su padre pensara que era una buena niña.

A la mañana siguiente, papá le enseñó a usar un rastrillo para apilar las hojas. Luego los recogieron y los pusieron en grandes bolsas de papel para que los barrenderos pudieran recogerlos.

En el patio de la señora Bruno había cuatro grandes robles y Emilia pensó que nunca se acabarían. Una de las cosas más frustrantes era que las hojas seguían cayendo.

Papá le sonrió.

—Probablemente tendremos que volver a recogerlos, pero por ahora, estamos haciendo lo que podemos. Además, ¿sabías que las hojas son perfectas para saltar en ellas? —Emilia inclinó la cabeza hacia un lado y preguntó:

—¿Cómo así?

—¡Mira! —dijo el padre. Le mostró cómo hacer enormes montones y luego le dijo—: ¡Corre y salta en ellas!

Cuando Emilia lo hizo, se deslizó bajo las hojas como si se deslizara hacia el home plate en un partido de béisbol. Las hojas crujieron y llovieron sobre ella. Se levantó rápidamente y sonrió.

—¡Ha sido divertido!

Cuando terminaron de rastrillar, papá fue a por el cortacésped y Emilia cogió una bolsa de basura. Se acercó a los parterres y empezó a arrancar todas las largas hierbas verdes, marrones y de otros colores del parterre de la señora Bruno.

Una vez terminado el resto del trabajo de jardinería, pusieron las bolsas de hojas y maleza frente a la entrada para que las barredoras las recogieran. Cuando

Emilia se volvió, vio a la señora Bruno de pie con sus muletas en el porche. Tenía una expresión entre sorpresa y felicidad.

Emilia y su padre fueron a recibirla.

—Oh, queridos. El jardín está precioso. Muchas gracias por su ayuda —la señora miró a su alrededor con lágrimas en los ojos. Estaba muy sorprendida y conmovida por la amabilidad de sus vecinos.

Emilia abrazó a la Sra. Bruno y dijo:

—Solo queríamos hacerla sentir mejor de alguna manera.

—¡Eso me hace sentir mejor! Qué gesto tan considerado y amable —respondió ella. Unas semanas después, Emilia oyó que llamaban a la puerta.

Fue a abrir la puerta y encontró a la señora Bruno sin muletas. En su mano tenía un pastel.

—Es una tarta de manzana; la he hecho porque sé que es tu favorita.

—¡Oh! ¡Gracias! —exclamó Emilia con alegría.

—¡Gracias a ti también! Ahora me siento muy bien y mejor que nunca —exclamó orgullosa la señora Bruno.

La vecina entró en casa de Emilia y los tres comieron un gran trozo de pastel con una bola de helado de vainilla.

Estaba delicioso.

~ ~ ~

Nadie es demasiado pequeño o insignificante para marcar la diferencia: cuando tengas una idea, no tengas miedo de contársela a los demás. Todas las ideas que tienes son importantes y necesarias en el mundo, incluso cuando crees que no lo son. Tienes un don especial en ti que solo tú puedes dar. Ser amable y ayudar a los demás no solo puede hacerles sentir bien, sino que también puede hacerte feliz a ti.

Bianca Es Amable

A veces puedes sentirte malhumorada, enfadada, molesta o experimentar algún otro tipo de emoción que no te guste: ¡nunca rechaces estos sentimientos!

Son parte de lo que eres y son importantes. Cuando te sientas mal, recuerda quererte a ti misma o buscar consuelo en alguien que te quiera.

Estas emociones nos permiten saber cuándo necesitamos un poco más de amabilidad. Si eres amable contigo misma en esos momentos, puedes aprender a ser amable con los que necesitan amor y compasión en los momentos más difíciles.

Bianca es una chica que está pasando por uno de esos momentos difíciles. Afortunadamente, tiene una buena amiga que la ayuda a superarlo. ¿Cómo crees que la amabilidad de su amiga ayudará a Bianca?

Cuando te sientes especialmente mal, ¿qué haces para animarte? ¿Haces algo que te haga sentir mejor? ¿Quiénes son las personas que te ayudan a sacudirte el mal humor?

~ ~ ~

Bianca se dio la vuelta.

No quería despertarse.

Su cama era cómoda y cálida. Cambió de posición.

No había dormido bien la noche anterior y estaba cansada.

Se negó a levantarse, no tenía ganas de ir a la escuela ese día. Solo quería dormir. No le importaba lo que dijera mamá.

—Bianca, es hora de despertar —la llamó su madre.

Bianca abrió un ojo para mirar a su madre y se puso el brazo sobre los ojos.

—No —refunfuñó Bianca.

—Bianca, es hora de despertar. La misma historia cada mañana. Tienes que levantarte —insistió mamá.

—No quiero ir a la escuela —se quejó Bianca.

—Lo sé, cariño, pero tienes que hacerlo. Es parte de la vida —contestó su madre amablemente.

Bianca refunfuñó. Se replegó sobre sí misma y decidió que se levantaría, pero de mal humor.

Cuando se puso la camisa, notó que la etiqueta le picaba la espalda. Se esforzó por alcanzarla y trató de ponérsela en otra posición para que dejara de arañarla, pero no lo consiguió. Así, siguió retorciéndose de incomodidad mientras se preparaba.

La etiqueta la hizo aún más gruñona.

Bianca se puso los calcetines, pero uno de ellos siempre se caía. Parecía que se había estirado demasiado. Al final se dio cuenta de que sus calcetines ni siquiera hacían juego. Entonces decidió dejarlo así. Si su madre quería que fuera al colegio, entonces se pondría ese calcetín tan poco atractivo porque era ella la que la obligaba a levantarse.

Bianca bajó las escaleras con paso pesado, dirigiendo un gruñido a su madre.

Colocó el plato del desayuno en la mesa frente a ella. Bianca se cruzó de brazos, hosca. Se sacudió la pierna para asegurarse de que el calcetín cedía aún más y se removió en su silla porque la etiqueta aún le molestaba.

—Bianca, desayuna. Te hará sentir mejor —le dijo su madre.

—No.

Su madre suspiró y dijo:

—Bueno, si quieres estar tan gruñona, que sepas que solo te haces daño a ti misma.

Bianca hizo una mueca y cruzó los brazos sobre el pecho. Sabía que lo que le decía era cierto, pero no podía quitarse el mal humor.

Al llegar a la escuela, Bianca tuvo que hacer cola para ir al baño. Refunfuñó en voz alta, dando un pisotón.

Una chica delante de ella se giró y la miró irritada.

Bianca se quejó:

—¡Qué larga esta cola! Tengo que ir al baño.

La chica que tenía delante se encogió de hombros, puso los ojos en blanco y se dio la vuelta. Bianca sintió un golpecito en el hombro y se giró: era su amiga Sandra.

Su sonrisa amistosa tomó a Bianca por sorpresa.

—Hola —dijo Sandra—. Parece que te vendría bien un abrazo.

—¿Qué? —preguntó Bianca.

—Necesitas un abrazo. ¿Puedo darte uno?

Bianca miró a Sandra con perplejidad, sin saber por qué pensaba que necesitaba un abrazo, y respondió:

—Por supuesto —pero en su interior se preguntaba cómo podría ayudarla un simple abrazo.

Abrazándola, Sandra le dijo:

—Sé que la vida puede ser a veces difícil, pero te quiero.

El calor de ese abrazo y esas amables palabras le llegaron al corazón y Bianca empezó a sentirse mejor.

Cuando se separó del abrazo, dijo:

—Gracias. ¡Yo también te quiero! Me has ayudado mucho.

Sandra sonrió.

—Cuando estamos de mal humor, es cuando más necesitamos el amor —luego, añadió—: Al menos, eso es lo que dice mi madre.

Bianca sonrió. Me sentí bien al sonreír. Se sentía realmente mejor. Cuando se dio la vuelta, vio que era su turno para ir al baño.

A la hora de la comida, fue a sentarse junto a sus amigos. Su mal humor había desaparecido y llevaba todo el día sonriendo desde que Sandra la había abrazado. Sus palabras la habían motivado a hacer lo mismo con otros niños que pudieran necesitar ayuda para ser menos gruñones o enojados.

Bianca se dio cuenta de que Fernando estaba sentado un poco lejos, separado del resto de su grupo, murmurando algo frente a sus fichas. Normalmente, era un niño que se reía con ganas y le gustaba ser el centro de atención. Hoy estaba un poco decaído y parecía enfadado.

Bianca se sentó a su lado y le preguntó:

—¿Va todo bien?

—No —respondió Fernando. No la miró, ni siquiera parpadeó, y siguió mirando la pared.

—¿Quieres hablar de ello? —preguntó Bianca.

—No —soltó Fernando.

—Muy bien. Me sentaré aquí contigo —dijo Bianca. No quería obligar a nadie a hacer algo que no le gustara, especialmente si estaba de mal humor. Tampoco le gustaba que alguien intentara hacerlo con ella, así que nunca lo haría con otros.

Después de comer en silencio, Fernando se levantó para tirar la basura, pero no volvió. Bianca pensó que no era bueno que estuviera solo, así que se levantó para ir a buscarlo. Después de limpiar la mesa, lo vio de nuevo sentado en una mesa solo.

Se acercó y se sentó a su lado, pero no demasiado cerca. Aunque ella no dijo nada, él la miró y le preguntó:

—¿Qué estás haciendo?

—Quiero que entiendas que no estás solo, incluso cuando te sientes así.

Fernando cruzó los brazos sobre el pecho y las piernas.

—No te quiero cerca de mí.

—Lo sé —respondió Bianca.

—Entonces, ¿por qué estás aquí? —preguntó Fernando, enfadado.

—Porque a veces, justo cuando estamos más enfadados, necesitamos amor.

—¡Eso es lo más tonto que he oído nunca! Quiero que me dejes en paz —le gritó.

Bianca sonrió y dijo:

—De acuerdo, pero estoy aquí si quieres hablar. Estaré al final de la mesa leyendo —Fernando gimió y se apoyó en la pared.

Bianca se acercó al final de la mesa, sacó un libro y se puso a leer. Cumplió su promesa y se quedó allí con él hasta que llegó la hora de volver a clase.

De camino al autobús, Bianca volvió a ver a Fernando. No parecía feliz, pero su estado de ánimo parecía haber mejorado ligeramente. Se acercó a él y le dijo:

—¿Puedo abrazarte?

Fernando parpadeó.

—Ehm. Claro.

Bianca le abrazó y le dijo:

—Espero que tengas un mejor día después de la escuela y también mañana.

Dicho esto, se dio la vuelta y subió a su autobús.

A la mañana siguiente, Fernando se acercó a ella mientras hablaba y reía con Sandra y le dijo:

—¿H-hola, Bianca?

Ambos se volvieron hacia Fernando.

Bianca le dedicó una gran sonrisa y le dijo:

—¡Hola! ¿Cómo te sientes hoy?

—¡Mucho mejor, gracias! —Fernando le sonrió, con algunos dientes faltantes.

—¡Estupendo! —exclamó Bianca.

—Sí, quería disculparme por haber sido tan gruñón contigo ayer. Siento lo que he dicho —dijo Fernando con timidez.

—Muy bien. Como dice mi amiga Sandra: las personas enfadadas o malhumoradas son las que más necesitan la amabilidad —explicó Bianca.

—Eh, no quería decirte esas cosas. Solo estaba de mal humor. Pero fuiste muy amable al no dejarme solo, incluso cuando te grité. No sabía que necesitaba un abrazo. Me ayudó mucho —dijo Fernando.

Bianca y Sandra le sonrieron.

—¡Confía en mí, te entiendo perfectamente! —Bianca sonrió, recordando lo malhumorada que había estado

el día anterior—. Me alegro mucho de poder ayudarte —dijo. Luego se dirigió a Sandra—. Sin tu abrazo, no habría podido ayudar a Fernando. Así que, gracias también.

Sandra rodeó con un brazo a Fernando y con otro a Bianca y dijo:

—¡De nada! Gracias también por ser tan buenos amigos.

~ ~ ~

Cuando utilizas la amabilidad y la empatía, puedes aprender a ser amable con los demás. Nunca se sabe cuándo se puede necesitar ayuda. Anteponer las necesidades de los demás a las tuyas te permite no pensar solo en ti misma y dar espacio a la bondad. Las personas que nos aman y a las que nosotros amamos a su vez nos darán alegría, compasión y bondad. Estos regalos te ayudarán de muchas maneras y te inspirarán a hacer cosas igualmente maravillosas.

Julia Y Ágata Trabajan Juntas

Trabajar en equipo a veces puede ser difícil, sobre todo cuando se tienen ideas diferentes sobre cómo hacer las cosas. Pero cada miembro del equipo puede tener ideas extraordinarias. Recuerda que todas las voces son igual de importantes y que no hay

que subestimar ningún pensamiento. Considera todos los aspectos para ver todos los diferentes ángulos y puntos de vista. Aunque al final no se pongan en práctica las ideas de todos, o, aunque tu idea no sea la elegida, al menos tú y tu equipo tendrán la seguridad de haber estado abiertos a todas ellas.

La siguiente historia presenta a dos niñas que no son amigas entre sí, pero que tienen que trabajar juntas. Ágata y Julia están en un campamento escolar y se les pone en un grupo para trabajar juntos en un espectáculo de talentos. ¿Qué crees que pasará cuando empiecen los malentendidos? ¿Crees que pueden aprender a comunicarse antes de que empiece el espectáculo?

¿Cómo trabajarías con alguien que se comunica de forma diferente a ti?

~ ~ ~

—Para el concurso de talentos final, el grupo formado por Ágata, Julia, Melania y Silvia se encargará de que el escenario esté construido para el final de la semana —anunció la jefa de equipo.

Ágata sacudió la cabeza con incredulidad. ¿Cómo iban a construir un escenario entero en tan pocos días? Parecía un proyecto demasiado grande para solo cuatro chicas, pero tenía que ser factible, de lo contrario la jefa de equipo no se lo habría asignado.

Ya estaba ordenando las tareas en su cabeza cuando sonó la trompeta que anunciaba el final de la reunión de la mañana, sacudiéndola. Miró a su alrededor y decidió buscar a la líder del grupo y preguntarle cuáles eran los siguientes pasos.

Julia, su compañera de equipo, tenía una idea diferente.

Quería reunir a sus compañeras para pensar en un plan. Se dio cuenta de la gran tarea que tenían por delante y supo que debían empezar a planificar inmediatamente para que todo saliera lo mejor posible.

Julia encontró rápidamente a Melania y Silvia, pero le costó encontrar a Ágata hasta que la vio hablando con la jefa de equipo.

Julia cruzó los brazos sobre el pecho y enarcó una ceja, pensando: ¿Pero por qué tiene que hablar con el jefe de equipo sin preguntarnos antes? Se dirigió a las otras dos chicas del equipo, que discutían alegremente qué harían para el concurso de talentos, y les dijo:

—Ahí está Ágata. Vamos a por ella.

Las chicas se abrieron paso entre los otros equipos reunidos. Todos hablaban de sus tareas en equipo. Julia trató de no enfadarse por el hecho de que no estuvieran planeando nada todavía. Eso le parecía lo más importante y lamentaba que Ágata pensara lo contrario.

Cuando llegaron al jefa de equipo, Julia oyó a Ágata decir:

—¡Gracias! Muy útil.

Ágata se giró y sonrió al ver a su grupo. Corrió hacia ellas y les dijo:

—La jefa de equipo, Flor, me dio las instrucciones para construir el escenario junto con las indicaciones sobre dónde encontrar todos los materiales, las herramientas y el dibujo de la disposición del escenario. Creo que deberíamos ir allí y comprobar qué hacer.

Julia cruzó los brazos sobre el pecho y miró mal a Ágata.

—Podrías habernos preguntarnos primero lo que pensamos —soltó.

Ágata se quedó sorprendida. Ella no había esperado esa respuesta tan seca.

—Tienes razón. ¿Qué te gustaría hacer?

Julia se relajó y dijo:

—Podemos ir a la zona donde se debe montar el escenario.

Ágata la miró incrédula y dijo:

—Pero eso es lo que acabo de decir.

No entendía por qué Julia estaba tan molesta, ya que habían dicho lo mismo.

Julia se encogió de hombros.

—Solo quería recordarte que somos un equipo.

—Muy bien. Pero estaba pensando en cómo construir el escenario —dijo Ágata.

—Sí, pero si nos hubieras incluido, podríamos haber hecho un plan juntas —soltó Julia.

—Bueno, esto no va a funcionar —dijo Ágata exasperada. Se giró y corrió hacia la jefa de grupo.

Julia la siguió y, agarrándola del brazo, le preguntó.

—¿Qué haces?

—No quiero trabajar con ustedes. Saltaste sobre mí en cuanto me viste. No creo que sea posible trabajar juntas —dijo Ágata, alejándose.

—Bueno, yo tampoco quiero trabajar contigo. Pensaste en ti misma antes que en tu equipo.

—Tampoco creo que podamos trabajar juntas —espetó Julia.

Las chicas se acercaron a su jefa de equipo, la señorita Flor, y la bombardearon con preguntas y quejas. Ninguna de los dos esperó a que la otra terminara de hablar. Su forma de actuar sorprendió a la señorita Flor, que dio un paso atrás.

Levantó las manos y dijo:

—Chicas. ¡Cálmense un momento!

Ambas se congelaron, con un fuerte suspiro.

—¿Dónde están sus compañeras?

Julia jadeó. Se había olvidado completamente de ellas. Se dio la vuelta avergonzada y vio a Melania y Silvia observando la escena con miradas preocupadas. La razón principal por la que Julia discutía con Ágata era que quería que fueran un equipo, pero ella misma se había olvidado de sus compañeras en el momento en que se había enfadado. Eso la hizo sentir incómoda.

Ágata miró a sus compañeras y, por sus caras, se dio cuenta de que podría haber manejado las cosas de otra manera.

—Quiero hacer otro proyecto —dijo Ágata—. Julia se abalanzó sobre mí y no me agradeció el trabajo que había hecho. No creo que ella y yo podamos trabajar bien juntas. Ya no somos un equipo.

Ágata asintió, señalando a Melania y Silvia, que se encontraban torpemente detrás de ellas.

—No quiero trabajar con Ágata —dijo Julia—. Ni siquiera pensó en incluirnos antes de tomar decisiones —su irritación se había desinflado un poco porque en realidad se había dado cuenta de que ella tampoco había sido una buena compañera de equipo y se había olvidado de los demás. Sin embargo, se había mantenido firme porque creía que Agatha se había equivocado y no quería admitir que podría haber hecho las cosas de otra manera.

La señorita Flor miró a los cuatro y dijo:

—Melania y Silvia, ¿qué les parece?

Melania se encogió de hombros:

—No creo que ninguna de ellas se haya comportado bien. Solo quiero hacer algo para el concurso de talentos. Esa es mi parte favorita del campamento.

Silvia bajó la mirada.

—No me gusta cómo se gritan.

La señorita Flor asintió y dijo:

—Muy bien, chicas, ¿por qué no empiezan a trabajar juntas? Pueden pensar en la decoración del escenario y de la zona del concurso de talentos. Les mostraré dónde está el equipo. Por favor, déjenme hablar con Ágata y Julia.

Silvia y Melania asintieron, aliviadas, y se fueron cogidas de la mano, riendo y charlando. Julia hizo una mueca al ver toda su complicidad. Se volvió hacia la señorita Flor.

—¿Puedo trabajar con ellas?

—No.

Julia hundió la cabeza en sus hombros.

La señorita Flor dio un paso atrás. Las miró a ambas, acariciando su barbilla durante unos instantes.

—Creo que tienen que entender cómo trabajar juntas. Construirán juntas el escenario.

—¡¿Qué?! Acabamos de perder a dos compañeras —se quejó Ágata.

—Sí, es cierto. Sucedió porque ninguna de las dos pensó en lo que era mejor para el equipo. Las hicieron sentir incómodas. Ahora tendrán que hacer todo el trabajo en dos. Cumplan el plazo y trabajen juntas. Si no completan la etapa al final de la semana, defraudarán a todo el campamento. Háganme saber si necesitan algo. Disfruten de su trabajo —la señorita

Flor se marchó sin permitir que ninguna de las dos chicas respondiera.

Se quedaron con la boca abierta durante unos instantes.

—Bueno, eso no fue muy bien —murmuró Julia.

—No. La verdad es que no —coincidió Ágata.

—Al menos estamos de acuerdo en una cosa —sonrió Julia.

Ágata la miró y dijo:

—No estoy nada segura de que vaya a funcionar.

—Yo tampoco. Pero tenemos que intentarlo.

Ágata se encogió de hombros y dio un largo suspiro.

—Bueno, vayamos a la zona del escenario y hagamos un plan.

Las chicas examinaron todo el material disponible y tomaron nota de todos los objetos para asegurarse de que no faltaba nada. Julia dijo:

—Creo que puedo empezar la estructura si quieres trabajar en la base. Así conseguiremos hacer las cosas sin estorbarnos mutuamente.

—¡Gran idea! —exclamó Ágata, y se acercó a las tablas de madera y a las herramientas—. Trabajaré allí

—dijo, señalando una zona en la que podía mantenerse alejada de Julia y trabajar tranquilamente.

—Bien, hazme saber si necesitas ayuda.

—¡Claro!

Las chicas se separaron y comenzaron sus tareas. Agatha clavó las esquinas.

Julia perforó las tablas. Ágata lijó la madera.

Julia pasó el agente impregnador.

—¡Oh, no! —se quejó Julia. Ágata dejó el martillo y corrió hacia ella.

—¿Qué pasa? —le preguntó.

—Seguí estas instrucciones, pero estaban al revés y ahora la base no está bien —se sentó Julia con desánimo.

—¡Está bien, mira! Podemos darle la vuelta a toda la pieza y así se solucionará —la tranquilizó Ágata. Julia consideró lo que Ágata acababa de sugerir.

—Oh. Es una buena idea —dijo, agradecida—. ¡Gracias!

A partir de ese momento, Ágata y Julia se hicieron buenas amigas. Se dieron cuenta de que el trabajo duro y la comunicación van de la mano. También descubrieron que tenían mucho en común. Tanto es así que incluso actuaron juntas en el concurso de talentos en el escenario que habían construido juntas, recibiendo una gran ovación.

~ ~ ~

No tienes que hacerlo todo tú: puede haber gente en el mundo con pensamientos e ideas similares, pero nadie es como tú. Cada persona es única y puede aportar sus propias buenas ideas al trabajo en equipo. A veces, los demás tendrán formas diferentes de hacer las cosas, pero recuerda que las ideas de cada persona son importantes. Encontrar la manera de trabajar juntos y escuchar todas las opiniones posibles te permitirá vivir experiencias maravillosas y aprender nuevas lecciones.

Lisa Gana La Copa

¿Alguna vez has visto a alguien hacer algo y te has preguntado cómo lo ha hecho tan bien? ¿Has pensado alguna vez en preguntarles? Puedes hacerlo, ¿sabes? Cuando otros hacen algo bien, es porque han practicado mucho. Lo han hecho con mucho esfuerzo; se han caído y se han vuelto a levantar. Se han enfrentado a dificultades e incluso han pensado en dejarlo.

Pero no lo hicieron.

Y tú tampoco deberías.

Cuando descubras algo que te interesa, debes probarlo. Si te gusta y quieres mejorar, debes saber que inevitablemente encontrarás dificultades en el camino. Los momentos negativos son los que más crecen y aprenden. Te llevarán un paso más allá en tu camino, y eso siempre es bueno.

Lisa es la protagonista de nuestra siguiente historia: quiere ganar la copa de equitación, pero le preocupa no poder hacer las mismas acrobacias que los jinetes mayores. ¿Qué crees que ocurrirá cuando se anime a probar nuevos trucos con su caballo?

¿Alguna vez has querido probar algo nuevo, pero te has quedado atascada porque tenías miedo? ¿Qué hiciste para superarlo?

~ ~ ~

—Vamos, Candy. Hagamos el siguiente salto —susurró Lisa a su yegua mientras esperaban su turno.

Era el salto más alto que habían hecho nunca, pero eso no asustó a Lisa. Sabía que podían hacerlo porque su caballo era el mejor saltador de la provincia. Candy era también el caballo más hermoso de todos: tenía un pelaje de color castaño y una brillante

crin negra. Sus ojos eran grandes y de color carbón, y sus largas y espesas pestañas añadían un toque de dulzura.

Candy también tenía marcas marrones a lo largo de su costado. Parecía llevar pantalones.

Lisa llegó al punto de partida y, cuando les llegó el turno, empujó a Candy hacia delante. La animó a ir más deprisa con un *"¡Ji-yah!"* y el caballo aceleró.

Necesitaba más velocidad, así que apretó los flancos de su caballo con los talones y Candy alcanzó la máxima velocidad. Con otro grito, Lisa colocó su cuerpo en la posición correcta, ayudándola a saltar.

Las dos flotaron en el aire: la pezuña trasera de Candy rozó la barra, que rebotó y volvió a su sitio con un ligero golpe.

Lisa sonrió felizmente. Abrazó a Candy y le dijo:

—¡Buen trabajo, chica!

El caballo agitó las orejas y lanzó un relincho de alegría.

Lisa pudo deducir que la yegua también estaba satisfecha con su desempeño.

Después de un par de saltos, estaban muy cansadas. Lisa llevó a Candy de vuelta al establo y se tomó el tiempo de lavarla, cepillarla y darle algunas golosinas especiales, agradeciéndole su comportamiento.

Cuando llegó la hora de irse, Lisa acarició a la yegua y la cubrió con una cálida manta.

Una vez fuera del granero, Lisa se detuvo a mirar el tablón de anuncios donde se encontraba toda la información, como los concursos y los anuncios. Había un volante amarillo ondeando en la ligera brisa que antes no estaba allí. Lisa se acercó a echarle un vistazo.

¡COMPETICIÓN DE ACROBACIAS!
PREMIO: ¡UNA COPA DE PLATA!

DE QUÉ TRATA: Compite contra estudiantes de tu edad para ganar la copa de plata.

CUÁNDO: Dentro de dos semanas.

—Dos semanas no es mucho —pensó Lisa.

Pero ella tenía muchas ganas de participar en ese concurso. Tendría que pensar en algo nuevo porque todos los de su edad habían aprendido las mismas acrobacias. Lisa salió de los establos, absorta en sus pensamientos.

A la mañana siguiente, volvió a ver entrenar a los mayores. Lisa se dio cuenta de que, si quería destacar, tendría que probar algo un poco más desafiante.

La mayoría de las acrobacias parecían demasiado complicadas

para aprenderlas en quince días, pero Lisa vio a una chica realizar un divertido giro y luego saltar con su caballo. Sería impresionante que Lisa haga esto al final de uno de sus saltos.

Miró a la chica y, en su mente, pudo imaginarse reproduciendo el ejercicio.

Cuando volvió al presente, vio a la chica bajarse del caballo y acercarse a los establos. Lisa corrió detrás de ella, esperando poder decirle cómo había enseñado a su caballo a hacer ese truco.

La alcanzó mientras limpiaba el establo de su caballo y le preguntó:

—¿Puedo ayudarte?

La chica levantó una ceja y dijo:

—Claro, pero estoy paleando estiércol —sonrió—: No creo que te guste como actividad.

Lisa se encogió de hombros.

—Todo forma parte de tener un caballo —dijo riendo—, pero definitivamente no es la mejor parte.

—Soy Dalia —dijo la chica mayor.

—Me llamo Lisa —le contestó, cogiendo un rastrillo y empezando a limpiar el granero con heno.

—¡Lisa, gracias por tu ayuda! ¿Qué puedo hacer por ti? —le preguntó.

—Bueno, he visto ese bonito número que has hecho con tu caballo, y me preguntaba cómo le has enseñado...

—¡Oh, es fácil! —dijo Dalia. Le explicó las instrucciones paso a paso y le dijo que utilizaba golosinas para motivar a su caballo.

—Eso suena muy bien —dijo Lisa, sonriendo—. ¡Gracias!

Ayudó a Dalia a limpiar el establo de su caballo, Horacio, y pasó el resto del día soñando en cómo iba a enseñar a Candy a hacer el giro y el salto tras salto como había visto hacer a la chica. Lisa sabía que era la mejor manera de ganar la copa.

Los días siguientes no fueron como ella había pensado. Lisa se cayó de su yegua.

Candy no quería hacer los movimientos que Lisa le ordenaba. Lisa tropezó con Candy.

No dejaban de ocurrir cosas desafortunadas.

Al final del tercer día, Lisa decidió que no valía la pena competir por la copa de plata ese año. Candy estaba cansada y se mostraba testaruda y estaba dolorida y desanimada. Al entrar en el establo con Candy, Lisa oyó una voz familiar y amistosa.

—¡Hola, Lisa! Soy yo, Dalia. ¿Te acuerdas? —exclamó Dalia, deteniéndose frente a ellas.

Lisa asintió y le dedicó una sonrisa. No era su culpa que no pudieran hacer ese nuevo número.

—Hola, Dalia, ¿cómo estás?

—Oh, bien. Venía a ver a Horacio para ver qué tonterías ha hecho mientras yo no estaba —Dalia se rio y luego preguntó—: ¿Cómo están tú y Candy? ¿Y el nuevo número?

Lisa se encogió de hombros. Realmente no quería admitir que el acto era un gran fracaso, especialmente frente a Dalia y Horacio que lo estaban haciendo tan bien. Pero Dalia parecía amable y Lisa decidió confiar en ella.

—He decidido no añadirlo al salto que vamos a dar. Es un poco demasiado para Candy, al menos en este momento. Parece que no estamos al mismo nivel que tú —dijo Lisa—. Estaba un poco decepcionada, pero tampoco quería presionar demasiado a Candy, no quería hacerle daño.

—Oh —exclamó Dalia, estudiando a Lisa por un momento. Luego dijo—: Sabes, nos tomó unas semanas antes de que Horacio y yo lo hiciéramos. Era un movimiento extraño para enseñar. Seguimos teniendo muchos problemas. Creía que tampoco íbamos a poder hacerlo, pero un día, simplemente, lo conseguimos gracias a un duro entrenamiento.

Lisa escuchó todo lo que dijo Dalia y sacudió la cabeza con incredulidad.

—Pero eres tan buena.

—Ahora sí. Llevamos más de un año haciendo ese acto. A Horacio le encanta hacerlo, sobre todo cuando entendía dónde poner las piernas.

—Ooooh —dijo Lisa mientras se le encendía una bombilla en la cabeza—. ¿Qué tipo de problemas has tenido?

—Bueno, me he caído muchas veces. Horacio seguía queriendo hacer más acrobacias, y también hubo algunas veces que se desanimó porque no podía hacer bien el número.

—¡Igual que yo! —Lisa sonrió. Era bueno saber que Dalia había tenido problemas similares. Sin embargo, Lisa se alegró de que nunca se hubiera hecho daño al caerse de Horacio—. Oh, gracias por contarme tu historia. Pensaba que no teníamos la capacidad de realizar esta maniobra. Pero ahora que sé que tú también tuviste problemas al principio, creo que me rendí demasiado rápido —admitió Lisa.

—¡Cuando quieras, estoy aquí! Hace tiempo que te veo hacer saltos. Tú y Candy tienen toda la pinta de ser estupendas —la tranquilizó Dalia.

Lisa se sonrojó y la abrazó.

—Gracias por el cumplido. Estoy deseando volver a intentarlo mañana.

—¡Claro, buena suerte! Nos vemos pronto —dijo Dalia alejándose.

Lisa se fue a casa esa noche y volvió a planear cómo realizar la nueva acrobacia. Durante la siguiente semana y media, Lisa practicó con Candy todos los días.

Y pronto, a pesar de más caídas, magulladuras y malos momentos, empezó a ver que su entrenamiento estaba dando resultados.

Llegó el día del concurso y Lisa estaba un poco asustada con la idea de hacer su nuevo número con Candy. Sin embargo, sabía que estaban preparadas.

Se prepararon, salieron con los otros chicos de la misma edad y Lisa observó cómo hacían acrobacias divertidas, pero bastante básicas, sobre sus caballos. Se dio cuenta de que nadie había elevado el nivel de la competencia ni había intentado nada nuevo. Esto le dio la esperanza de que las cosas fueran bien.

Cuando les llegó el turno, trotaron por la pendiente durante unos instantes y luego corrieron hacia la punta del salto. Candy saltó la barra más alta y aterrizó con gracia.

Entonces, Lisa instó a su caballo a girar hacia un lado y luego hacia el otro. Luego animó a Candy a levantar las patas traseras con un *"¡Hup!"*. Candy lo hizo todo perfectamente.

Lisa estaba radiante, terminó el número y el público la aclamó.

Sentada en su caballo con los demás estudiantes, esperando que los organizadores del concurso revelaran quién era el ganador, Lisa se dio cuenta de que ya había ganado. Había superado la inseguridad y la preocupación, y había trabajado mucho. Independientemente del resultado, había aprendido mucho en quince días y estaba especialmente orgullosa de sí misma y de Candy. Volvió a prestar atención a los jueces que estaban a punto de anunciar el nombre del ganador.

—Los ganadores de la Copa de Plata son... ¡Lisa y Candy!

~ ~ ~

Haz posible lo imposible. Muchas veces las cosas parecen imposibles, pero recuerda siempre que muy pocas lo son realmente. Escucha en tu interior lo que deseas hacer y sigue intentando conseguirlo, incluso cuando tu mente te diga que es imposible. La mayoría de las cosas en la vida se pueden hacer. Solo hay que encontrar la fórmula adecuada para conseguirlos.

Paola, La Jugadora De Baloncesto

Hay muchas cosas en el mundo que conoces y te importan. Pero, ¿realmente ya lo sabes todo? ¿O puedes averiguar más sobre lo que te gusta? Siempre se puede encontrar una nueva forma de hacer las cosas.

La siguiente historia trata de Paola, una niña a la que le encanta jugar al baloncesto. Le gusta tanto que cree que no tiene nada más que aprender. ¿Qué crees que pasa cuando descubre que estaba equivocada y una nueva compañera le enseña cosas nuevas y nuevas formas de jugar?

¿Qué harías si supieras que alguien sabe más que tú sobre un tema o actividad que te gusta?

~ ~ ~

Paola cerró los ojos.

Bam, bam, bam.

Escuchó el ritmo del baloncesto que rebotaba en la pista del gimnasio. A medida que la velocidad aumentaba, también lo hacía el ritmo

Bam, bam, bam.

Bam, bam, bam.

Bam, bam, bam.

Paola abrió los ojos y se movió al ritmo de la pelota. Corrió hacia delante, esquivó a un jugador, dio un paso atrás y lanzó el balón a la canasta.

¡Canasta!

La pelota rebotó en el suelo mientras Paola estaba exultante.

—¡Paola, eso no era lo que tenías que hacer! —le dijo el entrenador.

—Sí, pero he metido una canasta —respondió Paola, corriendo hacia él—. He marcado el punto. Eso era lo que intentábamos hacer.

—No, Paola. No sumamos puntos mientras estamos entrenando, y eso lo sabes. Quería que jugaras para el equipo y para que tus compañeras tuvieran la oportunidad de practicar. Ahora mismo no formas parte del equipo, porque solo haces lo que quieres, sola. Ve y siéntate en el banquillo como sanción. Si hicieras eso en el juego, un árbitro podría hacer lo mismo.

Paola cruzó los brazos sobre el pecho y se dio la vuelta.

—Sé lo que estoy haciendo —no consiguió que el entrenador entendiera que el baloncesto era su vida. Cada mañana se levantaba y hacía diez flexiones para fortalecer los brazos. Comía la mejor comida. Practicaba después de la escuela con el equipo y luego volvía a casa y entrenaba sola haciendo más ejercicios después de la cena. Paola sabía lo que estaba haciendo, pero no pudo hacer que el entrenador lo entendiera.

Se dejó caer en el banco, cogió una botella de agua y se la bebió. Ella no quería sentarse allí. Eso fue una de las peores cosas de recibir un penalti... sentarse y esperar.

El entrenador Gómez se equivocó.

No se debe penalizar a los jugadores que encestan. Deben ser sancionados los que corretean, tropiezan, golpean a otros o inician peleas.

Paola volvió a murmurar:

—Sé lo que estoy haciendo.

Después del entrenamiento, su madre tuvo una larga charla con el entrenador. Paola se impacientaba aún más. Ya llevaba mucho tiempo sentada. El entrenador le contaba a su madre lo que había sucedido. Paola puso los ojos en blanco ante esa idea.

Cuando su madre regresó, le puso la mano en el hombro y le dijo:

—Vamos Paola, vamos a casa.

A Paola le extrañó un poco que su madre no le dijera nada sobre el banquillo durante el entrenamiento, pero estaba segura de que volverían a tratar el tema.

Cuando se volvió para mirar al entrenador, Paola lo vio en compañía de una chica que no conocía. Estaba haciendo un regateo que nunca había visto, pero la puerta se cerró y no pudo ver nada más.

En el coche, mamá suspiró.

—Creo que por mucho que te guste el baloncesto, no estás aprendiendo algunas lecciones importantes que no tienen nada que ver con hacer una canasta.

Esas palabras llamaron la atención de Paola.

—¿Qué quieres decir?

—Siempre te he enseñado a ser una buena persona, pero parece que no lo eres cuando estás en la cancha. El entrenador Gómez dijo que hoy fuiste muy grosera con él.

—¡Eso no es cierto! Él fue grosero conmigo. Me dejó en el banquillo —se quejó Paola.

—Porque no jugaste para el equipo. Hiciste lo que querías —dijo mamá.

—Sí. Porque ya sabía lo que teníamos que hacer para sumar puntos —respondió Paola.

—El baloncesto es más que una cuestión de puntos, Paola.

Paola emitió un gruñido y se hundió en el asiento. No tenía nada más que decir. Vio pasar las casas y los árboles por la ventana y escuchó el sonido de los neumáticos en la carretera hasta que llegaron a casa.

Al día siguiente, en el entrenamiento, Gómez reunió a todo el equipo. No había nada extraño porque siempre se reunían antes de un partido o un entrenamiento. La novedad era que la chica del día anterior estaba de pie junto al entrenador con una pelota de baloncesto bajo el brazo.

—Chicas, esta es Samanta. Se acaba de mudar aquí y le gustaría unirse a nosotros. Ayer hizo una prueba y creo que tiene lo necesario para entrenar con nosotros. Me gustaría que le dieran la bienvenida y mostrarle de qué están hechas. ¿Qué les parece?

Las chicas se alegraron. Pero Paola no lo hizo.

Se quedó mirando a la nueva chica, sin saber qué pensar.

En la cancha, el entrenador Gómez le dio a Paola una posición diferente a la normal. Normalmente jugaba como directora de juego, pero en cambio, él le pidió que fuera ala-pívot.

—Entrenador, no quiero ser un ala-pívot. Quiero ser una base —se quejó.

—Lo sé. Pero Samanta tiene que probar todos los papeles para ver cuál es el mejor para ella. No será algo permanente. Es un ensayo. Tengo que hacer lo mejor para el equipo.

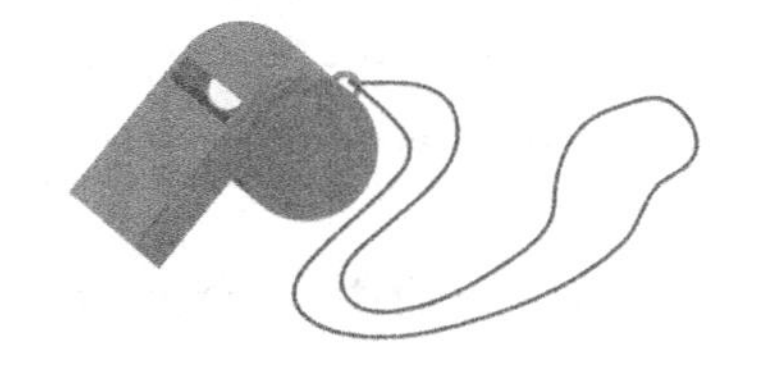

Pensando en lo que había dicho su madre, Paola se mordió la lengua. Se dio la vuelta y se dispuso en la pista en su nuevo papel. Cuando el entrenador hizo sonar su silbato y las chicas comenzaron a jugar, el enfado de Paola se había calmado ligeramente.

Estaba asombrada de cómo se movía Samanta y de lo que podía hacer.

De repente, Paola se dio cuenta de que Samanta era mejor que ella en el baloncesto. Se sorprendió.

Al final de la sesión de entrenamiento, Paola estaba definitivamente impresionada por sus habilidades: algunos de sus movimientos y golpes habían sido sorprendentes. Paola no estaba segura de qué hacer para mejorar, pero si no lo hacía, nunca podría seguir el ritmo de Samanta.

Cuando volvía a casa después del entrenamiento, le preguntó a su madre:

—Mamá, ¿qué haces cuando alguien es mejor que tú en algo?

Mamá la miró con curiosidad.

—Siempre habrá alguien mejor que tú en algo —dijo pensativa—. Incluso en lo que más te guste hacer en el mundo. Así son las cosas. Pero siempre puedes esforzarte por mejorar y aprender más.

Paola asintió, pensativa. *Supongo que tengo que hacerlo.*

Pensó en ello toda la noche y todo el día en la escuela, pero no estaba segura de cómo podía aprender más sobre el baloncesto.

Al final, llegó a la conclusión de que probablemente debería hablar con el entrenador al respecto. Por mucho que a Paola no le gustara admitir que no sabía qué hacer, especialmente con él, parecía ser la persona adecuada a la que acudir.

Al menos para empezar.

Paola llegó temprano al entrenamiento para poder hablar con Gómez. Respiró profundamente y se armó de valor. Se acercó a él y le dijo:

—Me gustaría aprender más sobre el baloncesto para llegar a ser tan buena como Samanta.

—Hola, Paola, ¿cómo estás hoy? —respondió el entrenador con sarcasmo.

Paola puso los ojos en blanco. Sabía que quería señalar que no había sido lo suficientemente educada.

—Solo estoy nerviosa, no quise ser grosera. Perdone que no le pregunte cómo está.

—Gracias —dijo Gómez, sonriendo—. Es bueno ver que estás empezando a captar las señales.

Paola dejó escapar un largo suspiro.

—Samanta es mejor que yo.

—No diría que es mejor, sino que tiene diferentes habilidades que puedes aprender.

—Exactamente. ¿Cómo lo hago?

—¿Por qué no hablas con ella de esto? Creo que ustedes podrían aprender algo la una de la otra.

—Incluso podrían hacerse amigas —sugirió.

Paola asintió y dijo:

—Gracias, entrenador. Supongo que tiene razón.

Se rio:

—Si hubiera sabido que traer a otro compañero te estimularía tanto, lo habría hecho hace tiempo —el

entrenador Gómez le dio una palmadita amistosa en la espalda—: Me alegro de verte tan decidida.

Paola encontró a Samanta concentrada en el estudio de un mapa escolar. Se acercó y dijo:

—Hola, ¿necesitas ayuda? Soy Paola. Estoy en tu equipo de baloncesto.

Samanta sonrió y dijo:

—Sí, gracias. Estoy buscando la biblioteca. La profesora Olivia dijo que allí encontraría libros para las clases.

—Así es. Sígueme —dijo Paola, sonriendo—. ¿Tienes clase con la maestra Olivia?

—Sí, la conocí ayer antes del entrenamiento.

—¡Yo también! Quizá estemos en la misma clase.

—¡Impresionante! —Samanta sonrió.

—¿Qué tal si jugamos juntas al baloncesto alguna vez? He visto que ayer hiciste algunos movimientos y tiros geniales y me gustaría saber más.

—¡Sí! Gracias. Me encantaría —Samanta bajó la mirada y dijo—: Creo que tú también tienes buenas técnicas y me encantaría aprenderlas. ¿Nos vemos después de la escuela?

—¡Claro! Sería estupendo —dijo Paola con alegría.

Desde ese día, mientras vivieran en la misma ciudad, Samanta y Paola se reunían todos los días después del colegio para jugar al baloncesto. Y siguieron siendo amigas de por vida.

~ ~ ~

Nunca dejes de aprender: cada día recuerdas y aprendes un poco más. De hecho, nunca se deja de aprender. Incluso cuando creas que tienes toda la información sobre un tema, debes saber que otra persona siempre sabrá más. Puedes crecer mucho si mantienes tu mente abierta a cosas nuevas. Al hacerlo, te convertirás en alguien mejor de lo que eres.

Juanita Adora A Su Oso De Peluche

Cada vez que entramos en una nueva fase de la vida, parece que hay algo que tenemos que soltar. A medida que crezcas, es posible que quieras dejar de jugar con tus juguetes y pasar a otras cosas que te interesen más.

Pero la magia y el amor ligados a las cosas que una vez apreciaste nunca se borrarán de tu memoria.

A veces es difícil darse cuenta de que desprenderse de una cosa sirve para hacer sitio a otra y que no significa olvidar las cosas que antes considerabas importantes. Solo significa que tendrás la oportunidad de crear nuevos recuerdos y ser la persona en la que necesitas convertirte.

Juanita es nuestra última protagonista. En la historia, se prepara para ir al colegio, pero no quiere dejar a su osito Tintín en casa. En lugar de ello, intenta llevárselo a la escuela a escondidas, pero gracias a un sueño y a un pequeño estímulo de su padre, se da cuenta de que hay momentos en los que hay que dejar de lado incluso las cosas que más te importan.

¿Qué crees que le dice Tintín a Juanita para hacerle saber que todo está bien? ¿Alguna vez te pasó que al crecer tuviste que ser valiente y probar algo nuevo?

~ ~ ~

—Papá, no encuentro mi mochila con libros —dijo Juanita desde el pasillo—. Quiero asegurarme de que tengo todo para mi primer día de clase.

—Juanita, querida. Ayer hicimos la mochila. Lo hemos vuelto a comprobar hoy. No necesitamos comprobarlo de nuevo. ¿De acuerdo? Es hora de acostarse —le respondió su padre.

Juanita se mordió el labio. Sabía que habían revisado y vuelto a revisar su mochila, pero quería meter algo más en ella. Mamá le había dicho que sus compañeros no traerían sus peluches. También había decidido no llevar a Tintín, su oso de peluche, pero se lo estaba pensando.

Juanita sabía que sus padres le permitirían llevarlo si quería, al menos en su mochila, pero no quería que supieran que había cambiado de opinión. Aunque no estaba segura de por qué, llevar un oso de peluche en primer grado la avergonzaba. Pensó que meter a Tintín en su mochila era lo correcto.

Así se sentiría más tranquila por tener que quedarse en la escuela todo el día. Tintín siempre la hacía sentir mejor.

Con el corazón revuelto, Juanita agarró a Tintín. Se dedicó a acunarla y a juguetear con el dobladillo del vestido del peluche. Era un hábito que había adquirido de niña. Lo había frotado tanto que el dibujo del dobladillo se había desgastado en ese punto, pero parecía haber suavizado aún más ese lugar. Tintín tenía el pelaje marrón más suave. A Juanita le encantaba dormirse acariciando sus orejas.

—Juanita, es hora de prepararse para ir a la cama. ¿Te has lavado los dientes? —preguntó mamá.

—No.

—¿Llevas pijama?

—No.

—¿Has preparado tu ropa para mañana?

Juanita miró en el tocador. Había un calcetín y una camiseta, pero se había olvidado de sacar el resto de la ropa para el colegio.

—Más o menos.

Mamá sonrió.

—¿No crees que deberíamos hacer todas estas cosas antes de ir a la cama, entonces?

—Sí —dijo Juanita con cierta incertidumbre.

—Bueno, primero tienes que dejar a Tintín.

A Juanita no le gustaba la idea de dejarlo, ya que no lo tendría con ella al día siguiente, pero lo hizo de todos modos. Dejó el oso de peluche en la cama, le besó la mejilla y le susurró:

—Ahora vuelvo.

Juanita se apresuró a prepararse para ir a la cama. Se cepilló los dientes.

Se puso el pijama.

Eligió el resto de la ropa para ponérsela al día siguiente.

Luego se metió en la cama junto a Tintín. Después de que sus padres le dieran un beso de buenas noches, Juanita se acurrucó en sus almohadas y empezó a soñar.

En su sueño, corría por un camino de nubes rosas con Tintín. Todo olía a algodón de azúcar y los pajaritos cantaban su canción favorita.

Juanita se rio, rebotando en el cielo sobre las nubes. Volvió a saltar, con el pelo revoloteando alrededor de su cara.

Tintín se bajó de la nube rosa y sonrió a Juanita. Se sacudió las nubes de su pelaje y se quitó unas ramitas de sauce que se habían enganchado en su vestido.

—¡Oh! —exclamó Juanita—: ¡Tintín! Tengo mucho que hablar contigo.

—Juanita, yo también tengo muchas cosas que contarte —en el sueño de Juanita, la boca cosida del oso de peluche se movía de verdad—. Vamos a nuestro árbol especial. Podemos comer manzanas confitadas y gusanos de goma, y contarnos todos nuestros secretos.

Juanita y Tintín fueron saltando por las nubes hacia su lugar favorito en el país de los sueños. Se cogieron de la mano y se hicieron reír rodando y dando vueltas. A cada paso, un trocito de nube se desprendía y volaba hacia el cielo. Cada grupo de nubes tenía un aroma ligeramente diferente, uno más sabroso que el otro: fresa, lila, algodón de azúcar y más.

Cuando llegaron a su árbol favorito, Juanita cogió algunas manzanas rojas confitadas y sacó algunos gusanos de goma extra del árbol porque eran los dulces favoritos de Tintín. El oso de peluche se sentó en el suelo, parpadeando sus pequeños ojos negros. Tintín era demasiado pequeño para ayudar a Juanita, pero le ofrecía un buen apoyo (al menos eso era lo que ella pensaba).

Juanita bajó de un salto del árbol y se sentó junto a Tintín. Le dio a su oso de peluche varios gusanos de goma y mordió una manzana confitada.

—Tú primero, ¿qué quieres decirme? —dijo Juanita.

—Bueno —dijo Tintín, tragando un gusano de goma—. Se trata de algo importante y no creo que debamos hablar con la boca llena.

Juanita se levantó y dijo:

—Oh.

Tragó lo que tenía en la boca de la manzana y lo miró.

—¿Está todo bien?

Tintín se levantó y se acercó a ella con un poco de incomodidad. Mirándola, le dijo:

—Estás creciendo. Tienes que ir a primer grado sin mí. Estaré bien, estarás bien. Podemos seguir juntos cuando vuelvas a casa. Seguiré durmiendo contigo y podremos seguir jugando, pero la escuela es un gran paso.

Juanita se puso a llorar de solo pensarlo.

—Pero yo te quiero.

—¡Yo también te quiero! Ir a primer grado no cambiará eso, ¿verdad? —preguntó Tintín. Juanita negó con la cabeza y dijo:

—No.

—¡Exactamente! Así que pruébalo. Durante dos días, si no te gusta estar en el colegio sin mí, me iré contigo, ¿vale? —le prometió el peluche.

Juanita asintió, secando sus lágrimas.

—Muy bien. Parece un buen plan.

—¡Bien, terminemos de comer este caramelo antes de que sea hora de despertar! —Juanita sonrió. Tintín siempre sabía cómo hacerla sentir mejor.

Cuando se despertó por la mañana, Juanita abrazó a Tintín y le dijo:

—Gracias. La charla de anoche fue muy buena.

Juanita se vistió, desayunó, se lavó los dientes y se puso la mochila.

Por un momento pensó en volver a subir corriendo solo para meter a Tintín en su mochila, pero luego recordó su acuerdo.

—Dos días —susurró Juanita para sí misma.

Luego salió por la puerta sin pensarlo dos veces.

Cuando Jeanne volvió del colegio, subió corriendo las escaleras para hablar con Tintín. La había echado mucho de menos, pero se alegraba de que el osito no tuviera que pasar el día en su mochila. Juanita no habría tenido tiempo para ella en la escuela porque estaba muy ocupada.

—¡Tintín! ¡Tengo tanto que contarte! Tenías razón sobre la escuela. Pero estoy muy feliz de verte —Juanita abrazó a su osito de peluche y empezó a contarle todo lo que había pasado en el día.

Desde ese día, Tintín se quedó en la cama mientras Juanita iba al colegio. Cuando volvió, Juanita corrió

hacia el peluche y le contó todos los detalles de su día.

Era un nuevo hábito extraordinario para una nueva e importante fase de la vida.

~ ~ ~

Hay cosas y personas a las que quieres mucho, ¡y ellas también te quieren! Pero, en ciertos momentos, especialmente a medida que creces, tendrás que alejarte de las personas y las cosas que más quieres. Esto no significa que el afecto haya terminado. Significa que estás encontrando nuevas formas de disfrutar de la vida y ser independiente. Esas personas y cosas estarán ahí cada vez que vuelvas y se alegrarán de que tengas una nueva aventura.

Epílogo

Piensa en todas las protagonistas de nuestras historias. ¿Se parecen a ti? ¿Son diferentes? ¿Qué harías tú si estuvieras en su situación?

¿Cómo te tratas a ti misma cuando estás feliz, triste, enfadada, eufórica, contenta o sientes cualquier otra emoción? La forma en que te tratas a ti misma refleja la forma en que tratas a los demás. Asegúrate de tratar los problemas, sentimientos y desafíos sin prejuicios.

Al afrontar los retos con amor, compasión y bondad, iluminas tu rincón del mundo con alegría. Tu luz brillará en los demás y les inspirará a difundir su luz, que también se reflejará en ti.

Recuerda que tus sueños pueden ser una inspiración para ti y para los demás. Persíguelos hasta el final, trabaja duro y esfuérzate por ser un ejemplo. Cuando consigues el equilibrio adecuado entre la amabilidad y la fidelidad a tus creencias y puntos de vista, puedes vivir una vida maravillosa y mostrar a todos lo extraordinaria que eres.

Contenido adicional

Nuestros Regalos para ti

Suscríbete a nuestro boletín y recibe estos materiales gratuitos

www.specialartbooks.com/free-materials/

Síguenos en:

Instagram: @specialart_coloring
Grupo de Facebook : Special Art - Kids Entertainment
Página web: www.specialartbooks.com

Impressum

Para preguntas, comentarios y sugerencias:

support@specialartbooks.com

Nadia Ross, Special Art

Ilustración de portada de
Maria Francesca Perifano

www.specialartbooks.com

Made in the USA
Monee, IL
04 January 2024